**Ron Roy**

Illustrations de Nicolas Julo

# LA PLUS GROSSE PÉPITE DU MONDE

RAGEOT

Cet ouvrage a paru sous le titre
*The Ninth Nugget (A to Z Mysteries,* tome 9*).*

Cette traduction est publiée avec l'accord de Random House
Children's Books, un département de Random House, Inc.

Traduction : Émilie Éveilleau.

© Ron Roy, 2001.

ISBN 978-2-7002-3781-8
ISSN 1772-5771

© RAGEOT-ÉDITEUR – Paris, 2011, pour la version française.
Loi n° 49-956 du 16-07-1949 sur les publications destinées à la jeunesse.

# BIENVENUE DANS LE MONTANA

3D, Josh et Rose regardèrent le petit avion prendre son envol. Ils venaient juste d'atterrir à Bozeman, dans le Montana, où ils allaient passer une semaine de vacances.

Tandis qu'ils patientaient devant l'aéroport, le ciel vira au violet et le soleil disparut lentement derrière les montagnes.

– Quelle heure est-il ? s'étonna Josh. Quelqu'un doit venir nous chercher à sept heures.

Rose consulta sa montre et annonça :

– Il est sept heures vingt.

3D mit sa main en visière pour se protéger les yeux du soleil couchant.

– Je crois que notre chauffeur arrive, déclara-t-il.

Un pick-up poussiéreux ralentit puis s'arrêta à leur hauteur. Un jeune homme dégingandé et souriant se glissa hors du véhicule.

– C'est vous, les gamins du Connecticut ? leur demanda-t-il.

3D hocha la tête et l'interrogea à son tour :

– Et vous, vous arrivez du Western Ranch ?

– Tout juste ! Bienvenue dans le Montana ! Je suis désolé pour le retard. Je m'appelle Jude Cow.

– Moi, c'est 3D, et voici mes amis Josh et Rose.

Jude devait avoir une vingtaine d'années. Il était vêtu d'un jean, d'une chemise western et de bottes de cow-boy usées.

– Je m'occupe de vos bagages, proposa-t-il en empoignant les sacs à dos qu'il jeta à l'arrière du pick-up. Allez, tous en voiture ! s'exclama-t-il.

Rose et Josh s'assirent à l'avant avec Jude, tandis que 3D s'installait à l'arrière, entre les sacs, une pile de harnais et une selle.

– Il y a une drôle d'odeur dans le pick-up, s'étonna Josh.

Jude s'esclaffa et répondit en s'engageant sur la route :

– C'est une odeur typique dans un ranch. Ça sent un peu le cheval, un peu le cuir, et aussi un peu le cow-boy, j'en ai peur !

À travers la fenêtre, 3D découvrit un paysage vallonné et verdoyant. Des troupeaux de bœufs paissaient derrière des barrières bien entretenues.

– Alors les enfants, questionna Jude, vous avez hâte de monter à cheval ?

– Je n'ai jamais fait d'équitation, avoua Josh.

— Ne t'inquiète pas, le rassura Jude, la plupart de nos visiteurs sont dans ton cas. Je vous expliquerai tout ce qu'il faut connaître.

— De quoi vous vous occupez au ranch ? voulut savoir Rose.

— D'un peu tout, mam'zelle. La propriété appartient à mes parents. C'est là que j'ai grandi. J'étais censé retourner à l'université cet automne, mais il faut que je leur donne un coup de main. Le ranch ne rapporte pas beaucoup d'argent, ces temps-ci.

— Vous étudiez quoi ? demanda 3D.

– Je suis des cours pour devenir instituteur. Je préférerais passer mes journées avec des enfants plutôt qu'avec des vaches.

Jude s'arrêta bientôt à une station-service.

– Il faut que je fasse le plein, expliqua-t-il. J'en ai pour une minute.

Josh, Rose et 3D le virent se servir à la pompe, puis se diriger d'un pas alerte vers la caisse. Il porta la main à la poche arrière de son jean dont il tira son portefeuille.

– Pourvu qu'il nous rapporte des barres chocolatées, je meurs de faim ! s'exclama Josh.

— Tu as englouti une vingtaine de paquets de cacahuètes dans l'avion, le taquina 3D.

Jude revint vers le pick-up et se glissa sur le siège du conducteur en pestant :

— Non mais quelle histoire ! Quand j'ai ouvert mon portefeuille pour payer, il était vide ! Je suis pourtant certain qu'il contenait deux billets de vingt dollars pas plus tard que cet après-midi.

Il secoua la tête puis ajouta :

— Heureusement que j'avais ma carte de crédit, sinon on était bons pour rentrer à pied !

Il démarra et ils reprirent la route qui s'étendait à travers les prairies.

– Regardez ! Un faucon ! s'écria Josh.

– Il est à l'affût d'une souris bien dodue pour son dîner, supposa Jude.

Un gargouillis sonore monta du ventre de Josh.

– Il n'est pas le seul à être affamé, on dirait, plaisanta Jude. Tu as de la chance : nous avons une bonne cuisinière au ranch !

## DES VACANCES AU RANCH

Quelques minutes plus tard, le pick-up franchissait une barrière surmontée de la pancarte du WESTERN RANCH avant de s'engager sur un chemin de terre. Devant se trouvaient une grange et un corral.

Sur la gauche se dressait une imposante bâtisse blanche. Un peu plus loin, 3D aperçut un étang entouré de pins et de cabanons.

Des canards et des poules picoraient dans l'herbe des talus qui longeaient le chemin.

– Comme c'est beau ici ! s'enthousiasma Rose. Est-ce que je pourrai nourrir les poules ?

– Bien sûr, mam'zelle ! lui répondit Jude en arrêtant le pick-up devant la maison. Mais d'abord, je vais vous présenter mes parents.

Un homme et une femme aux cheveux blancs, vêtus d'un jean et d'une chemise à carreaux, se balançaient sous la véranda dans des rocking-chairs. Ils se levèrent en les voyant arriver.

– Voici Ma et Pa, déclara Jude.

– Bienvenue au Western Ranch ! s'écria Ma. Vous devez être 3D, Josh et Rose.

– Salut les enfants ! lança Pa.

À cet instant, la porte moustiquaire s'ouvrit et une femme coiffée d'une casquette de base-ball apparut sur la galerie. Elle portait un long tablier blanc par-dessus son jean et sa chemise western.

– Je vous présente Martha Cook, la meilleure cuisinière du Montana, annonça Jude en déposant les sacs des enfants au sommet des marches.

Martha leur adressa un sourire encourageant.

– Est-ce que vous avez eu quelque chose à grignoter pendant le vol? s'inquiéta-t-elle.

— Des cacahuètes, c'est tout ! s'indigna Josh. Je meurs de faim !

— Je suis en train de préparer le dîner, je ferai sonner le triangle quand il sera prêt, expliqua Martha en désignant l'instrument métallique suspendu à l'une des poutres de la galerie.

— Je vous conduis à votre cabanon en attendant, proposa alors une voix grave dans leur dos.

3D, Josh et Rose firent volte-face. Un homme s'était approché en silence. Ses cheveux hirsutes s'échappaient d'un Stetson usé. Sa peau avait l'aspect du cuir tanné.

— Je m'appelle Tom Finger, ajouta-t-il.

Comme il saisissait leurs sacs, 3D remarqua que l'une de ses mains était dépourvue de pouce.

— À tout à l'heure ! lança Jude tandis que Josh, Rose et 3D emboîtaient le pas à l'étrange cow-boy.

Il les précéda sur un étroit sentier pavé de pierres qui menait aux cabanons.

Puis il s'arrêta devant le cabanon du milieu et déclara :

— Voici le vôtre. Celui-ci est occupé par une dame, expliqua-t-il en désignant du menton le cabanon de gauche, et l'autre par un gars de New York. Un couple de jeunes mariés loge dans l'un des cabanons situés de l'autre côté de l'étang.

Les cabanons construits en rondins de pin brut étaient tous bâtis sur le même modèle. Ils étaient entourés d'une galerie et des fenêtres s'ouvraient de part et d'autre de la porte d'entrée.

— Ma vous prêtera des couvertures supplémentaires si vous avez froid, les informa Tom Finger en gravissant l'escalier. Vous trouverez des serviettes de toilette dans la salle de bain.

Puis il déposa les sacs sur la galerie, adressa aux trois amis un bref salut de la tête, descendit les marches d'un pas lourd et rebroussa chemin.

— Ce gars me fiche la frousse, avoua Josh. À votre avis, comment a-t-il perdu son pouce ?

— Il a peut-être été attaqué par un ours, suggéra 3D en adressant un clin d'œil à Rose.

— Ou bien par un puma, renchérit Rose avec un petit sourire.

Josh renifla d'un air dédaigneux.

— Vous n'arriverez pas à me faire peur, protesta-t-il, je suis certain qu'il n'y a rien d'autre ici que des poules et des canards.

Ils transportèrent leurs sacs à l'intérieur.

Une petite cheminée devant laquelle s'étendait un tapis de coton tressé se dressait entre deux lits superposés et un lit simple.

Quelques chaises et une table complétaient le mobilier.

— Je veux rester ici pour toujours ! s'écria Rose en jetant son sac à dos sur le lit simple.

Puis elle s'approcha de la fenêtre qui donnait sur la grange.

— Je dors en haut ! prévint Josh en lançant son sac.

3D posait le sien sur le lit du bas lorsqu'un tintement métallique provenant du bâtiment principal retentit.

– Manger, enfin ! s'exclama Josh.

Ils se ruèrent dehors et manquèrent percuter un barbu maigrichon.

– Doucement ! dit l'homme en souriant. Inutile de courir, il y a largement de quoi nourrir tout le monde. Vous devez être les petits nouveaux.

– Oui, nous venons juste d'arriver, confirma 3D.

– Je m'appelle Eddy Magician. Je suis arrivé hier de New York.

Il mima un tour de passe-passe sous le regard intrigué de Josh, Rose et 3D avant de poursuivre :

– Je suis magicien.

– Cool! s'exclama Josh. Vous connaissez plein de tours alors?

Eddy approuva d'un signe de tête.

– Je vous ferai une démonstration plus tard, ajouta-t-il d'un air mystérieux.

## FRISSONS AU COIN DU FEU

Ils cheminèrent ensemble vers la maison, puis pénétrèrent dans la salle à manger. Une tête d'élan empaillée trônait au-dessus d'une large cheminée. Les murs étaient décorés de lassos, d'éperons et de rênes.

Jude, Tom Finger et trois autres personnes avaient déjà pris place à la longue table devant l'âtre.

Ma et Pa arrivèrent de la cuisine.

– Bonsoir les enfants, asseyez-vous.

Pa fit tinter son verre pour attirer l'attention des convives.

– Voici 3D, Josh et Rose du Connecticut.

– Bonjour, je m'appelle Fiona Nurse, les salua une femme vêtue d'un jean et d'une chemise western.

– Et nous sommes Justin et Sally Honeymoon, ajouta l'homme assis à côté d'une jeune femme aux longs cheveux blonds.

Martha Cook chargée d'un lourd plateau fit irruption dans la pièce.

– Mangez tant que c'est chaud ! ordonna-t-elle en posant sur la table les plats de poulet frit et de légumes fumants.

Au cours du repas, Rose, 3D et Josh apprirent que Fiona était infirmière à Chicago. Quant aux Honeymoon, ils venaient juste de se marier et passaient leur lune de miel au Western Ranch.

Seul Tom Finger ne prit pas part à la conversation, se contentant de manger en silence.

Pour le dessert, Martha servit une tarte aux pommes dorée à point.

Tandis que Josh finissait avec gourmandise sa deuxième part de dessert, Pa se leva.

– Jude va allumer un feu de camp à l'arrière de la maison, annonça-t-il. Et à moins que je ne me trompe, Tom vous racontera l'histoire du grizzli qui rôde dans nos contrées.

Josh planta son regard dans celui de Tom Finger et lui demanda :

– Il y a vraiment des grizzlis par ici ?

Pour toute réponse, Tom Finger se contenta de sourire en montrant sa main amputée du pouce.

Les convives aidèrent à débarrasser la table. Puis 3D, Josh et Rose sortirent retrouver Jude et Tom, occupés à préparer le feu au cœur d'un cercle de pierres.

À présent, il faisait nuit noire. Quelques lucioles brillaient dans les buissons proches de l'étang.

– Asseyez-vous, leur proposa Jude en désignant les rondins.

Fiona, Eddy et les Honeymoon ne tardèrent pas à les rejoindre.

Tom Finger frotta alors une allumette contre la boucle de sa ceinture, s'agenouilla puis dirigea la flamme vers le tapis d'aiguilles de pin placé sous les bûches. Le feu prit instantanément.

– Génial ! s'enthousiasma Josh. Je resterais bien ici tout l'été !!

– Moi aussi, approuva 3D.

Enfin, Ma, Pa et Martha Cook arrivèrent à leur tour.

— Et si tu nous racontais ton histoire, Tom ? suggéra Pa.

Tous les regards convergèrent vers Tom Finger. Il tisonna les braises à l'aide d'un bâton, repoussa son Stetson d'un geste nonchalant et entama son récit d'une voix rauque.

— Cet été-là était le plus sec qu'on ait jamais vu dans le Montana depuis des années. Tout a commencé la nuit où l'orage enfin a éclaté. On était sortis pour calmer le bétail effrayé par le feu qui s'était déclaré dans les collines lorsque, tout à coup, un ourson a surgi d'entre les arbres en courant, complètement affolé. Il portait des traces de brûlures et grognait de douleur. On l'a attrapé pour le transporter à l'intérieur, et Martha a étalé du beurre sur ses plaies.

Tom Finger marqua une pause. On n'entendait plus que les craquements du feu.

Josh, assis près de Rose, ouvrait de grands yeux.

– Qu'est-il arrivé à l'ourson ? s'inquiéta Rose.

Tom Finger se tourna vers elle en plissant les paupières.

31

– Le lendemain matin, on a conduit la pauvre bête chez le vétérinaire, poursuivit-il. Quand elle a été parfaitement guérie, il l'a envoyée dans un zoo en Californie.

– Bonne idée ! s'exclama Josh.

Le regard sévère de Tom Finger se braqua sur le garçon.

– Au contraire. La maman grizzli est venue nous rendre visite la nuit même. Elle poussait des grognements pour appeler son petit. Elle a détruit toutes les portes des cabanons et démoli une partie de la grange. Du coup, on s'est tous réfugiés dans le cellier de Martha en attendant qu'elle s'en aille.

– Et... Est-ce... est-ce qu'elle est re... revenue ? bégaya Josh.

Tom Finger éclata d'un rire moqueur.

– Mon p'tit gars, cette ourse nous rend visite au moins deux ou trois fois chaque été. Elle déboule ici comme une tornade en anéantissant pratiquement tout sur son passage.

Tom baissa les yeux vers sa main au doigt manquant.

– Tout ce qu'elle veut, ajouta-t-il, c'est récupérer son petit. Ça fait deux ans maintenant, pourtant elle s'obstine encore à le chercher dans les environs.

Tom posa sa main sans pouce sur l'épaule de Josh et conclut :

– Aujourd'hui, cet ourson doit faire à peu près ta taille, mon gars.

Sur ce, il se leva et disparut dans la nuit noire.

Un long silence troublé enveloppa les convives après son départ. Enfin, l'un après l'autre, ils se levèrent.

– Soyez à l'heure demain matin, leur rappela Martha en prenant le chemin de la maison, il y aura des pancakes au petit-déjeuner.

– Comptez sur moi ! s'écria Josh.

Tout en aidant Rose et 3D à éteindre le feu, Josh se tourna vers Jude.

– C'est vrai, cette histoire d'ours ? lui demanda-t-il. Tom nous menait en bateau, j'ai l'impression.

— J'étais à l'université au moment où l'incident s'est produit, répondit Jude, donc je ne suis sûr de rien. Sauf que Tom n'est pas du genre à plaisanter.

— Son histoire pourrait être vraie, observa Rose. J'ai lu quelque part que les grizzlis prennent soin de leur petit jusqu'à ce qu'il atteigne l'âge adulte.

3D passa un bras autour des épaules de Josh.

— Ne t'inquiète pas. Même un ours affamé ne voudrait pas te croquer, tu es bien trop maigre !

— Vous voulez que je vous raccompagne jusqu'au cabanon ? proposa Jude.

– Ce n'est pas un vieil ours qui va me faire peur ! s'écria Josh. En plus, je suis sûr que Tom se moquait de nous. Comment a-t-il perdu son pouce, Jude ?

– Je n'en sais rien, il faudra que tu lui poses la question, répliqua Jude en riant. Dormez bien et gare au grizzli !

## VISITE NOCTURNE

3D, Josh et Rose prirent le chemin de leur cabanon sous la lueur des étoiles.

Alors que les fenêtres étaient éclairées chez Fiona et chez Eddy Magician, le cabanon des trois amis était plongé dans le noir.

— Tiens, c'est bizarre, je croyais avoir laissé la lumière allumée, s'étonna Rose.

– Moi aussi, acquiesça 3D.

– J'en suis certaine, même !

Puis elle se jeta sur Josh en hurlant :

– Le grizzli est dans notre cabane !!!!

– Alors c'est sûrement lui qui a éteint la lumière, rétorqua Josh, impassible. En tout cas, ne compte pas sur moi pour te protéger si l'ourse nous attaque cette nuit !

Quand ils furent couchés, 3D éteignit la lampe et se tourna vers la fenêtre pour contempler le scintillement des lucioles.

Le chant des grenouilles et des criquets s'élevait dans la nuit paisible.

– Bonne nuit, les garçons, souffla Rose de l'autre bout de la pièce.

– Bonne nuit Rose, bonne nuit monsieur grizzli, répondit 3D.

– Je ne vous parle plus, grommela Josh perché sur la couchette du haut.

Ils ne tardèrent pas à sombrer dans le sommeil.

3D se réveilla en sursaut. Il avait cru entendre un pas lourd autour du cabanon.

Il se redressa et fit des yeux le tour du cabanon. Rose était profondément endormie. Josh ronflait.

3D n'avait aucune idée de l'heure, pourtant il ne pensait pas avoir dormi très longtemps.

« Ce sont peut-être des pommes de pin qui sont tombées sur la galerie », tenta-t-il de se rassurer.

Il se rallongea, ferma les yeux et s'efforça de se rendormir.

Mais bientôt les bruits reprirent. De nouveau des pas lourds retentirent autour du cabanon… et il ne s'agissait pas de pommes de pin !

Soudain, une masse sombre apparut dans l'encadrement de la fenêtre, occultant la lueur des étoiles. 3D frémit et remonta sa couverture sur son menton.

Un raclement inquiétant le fit sursauter et enfin l'ombre disparut.

Son cœur battait à tout rompre. « Calme-toi, s'ordonna-t-il. Ce n'était certainement pas la maman grizzli, voyons ! »

C'est en regrettant de s'être moqué de Josh au sujet de l'ourse que 3D finit par se rendormir.

Le lendemain matin, Rose, 3D et Josh furent réveillés par le tintement du triangle signalant que le petit-déjeuner était servi. Josh, oubliant qu'il dormait en hauteur, sauta de sa couchette, manquant atterrir sur 3D.

Rose se rua dans la salle de bain tandis que les garçons s'habillaient. Trois minutes plus tard, ils prenaient le chemin de la maison.

– Je sais que vous n'allez pas me croire, commença 3D en hésitant, mais j'ai vu quelque chose sur la galerie la nuit dernière.

– Une chose recouverte de fourrure et dotée de longues griffes ? suggéra Rose.

– Et voilà, ça recommence... grogna Josh.

– Je suis sérieux, insista 3D. J'ai entendu des pas, puis une masse sombre s'est dressée devant la fenêtre à côté de ton lit, Rose. Et pour finir, j'ai entendu un raclement.

— C'était sûrement un raton-laveur, lança Josh.

— Si c'en était un, on ferait bien d'appeler le *Guinness des records*, rétorqua 3D. Parce qu'il mesurait au moins un mètre quatre-vingts !

— Alors c'était peut-être la créature de Frankenstein ! s'écria Josh en détalant vers la maison. Je crois que tu as rêvé, 3D. Par contre, les pancakes de Martha sont bien réels, je sens leur délicieuse odeur d'ici !

Quand ils arrivèrent dans la salle à manger, tout le monde était déjà attablé. Ma, qui servait le jus d'orange, les salua.

– Bonjour, les enfants, j'espère que vous avez bien dormi et que vous avez faim !

Des plats d'œufs brouillés, de saucisses et de pancakes trônaient au milieu de la table. Ils se servirent copieusement.

Lorsque leurs assiettes furent presque vides, 3D raconta ce qu'il avait vu et entendu pendant la nuit.

– Des bruits bizarres ? s'étonna Pa. Je n'ai rien entendu. Et toi, Jude ?

– Rien n'aurait pu me réveiller, répondit Jude. Et toi, Ma ? Tu as remarqué quelque chose ?

Ma secoua la tête avant de se tourner vers Tom Finger.

– Et toi, Tom?

Le cow-boy sourit puis secoua la tête à son tour.

– Je n'ai rien entendu du tout, affirma-t-il, mais une odeur de grizzli planait autour du ranch quand je me suis levé.

À ces mots, toute l'assemblée éclata de rire, excepté Josh. Puis Pa demanda à Eddy Magician de leur faire un tour de magie.

Eddy se leva, montra à son public ses mains ouvertes.

Puis il enveloppa l'une d'elles dans une serviette et murmura une formule magique. Lorsqu'il retira la serviette d'un coup sec, un œuf apparut dans sa main.

Tout le monde applaudit tandis que Tom Finger se levait et déclarait :

– Merci pour le petit-déjeuner, Martha, c'était délicieux. Pour ceux que ça intéresse, on va partir chercher de l'or.

Tous se levèrent d'un bond.

## LES CHERCHEURS D'OR

Vingt minutes plus tard, les sept vacanciers, guidés par Tom et Jude, s'engagèrent sur un sentier caillouteux qui longeait une rivière paisible.

— Nous sommes arrivés, déclara Tom Finger peu après en s'arrêtant sur une petite plage sablonneuse.

— Je ne vois pas d'or, remarqua Josh en scrutant le courant.

– Oh, mais tu ne risques pas d'en voir, s'esclaffa Jude.

Il désigna les montagnes qui s'élevaient en amont du cours d'eau.

– L'or se trouve là-haut. À chaque orage, des pépites sont entraînées par le courant. Montre-leur comment on cherche de l'or, Tom.

Tom s'accroupit et plongea un large tamis dans l'eau.

– Surtout ne mettez pas les pieds dans la rivière, vous troubleriez le fond, les prévint-il.

D'un geste du poignet, il emplit son tamis d'eau et de gravier.

– Comme l'or est plus lourd que le gravier, expliqua-t-il, il se dépose au fond.

Tom se mit à agiter son tamis d'avant en arrière. Puis il l'inclina et fit couler l'eau et le gravier hors du récipient.

– Et voilà ! dit-il en tendant son tamis en direction du petit groupe.

D'abord, Josh, 3D et Rose ne distinguèrent que quelques pierres grisâtres, puis 3D désigna un caillou brillant de la taille d'un petit pois.

– C'est de l'or ? demanda-t-il.

– Pour sûr, répondit Tom Finger.

Il attrapa la pépite entre deux doigts et la montra à tous.

– Combien vaut-elle ? interrogea Josh avec curiosité.

Tom plaça sa trouvaille dans la poche de sa chemise avant de répondre.

– Une pépite de cette taille ne vaut pas grand-chose.

– On peut essayer, maintenant ? s'impatienta Rose.

Tom Finger acquiesça. Il leur distribua à chacun un tamis et conseilla :

– Choisissez chacun un coin, et souvenez-vous, ne marchez pas dans l'eau du ruisseau.

Les sept vacanciers s'agenouillèrent sur la rive.

Jude se plaça près de Josh et plongea son tamis dans le cours d'eau.

— Je fais ça depuis que je suis gamin, expliqua-t-il. Une année, un de nos hôtes a trouvé une pépite de la taille d'une balle de golf. Il l'a vendue, et avec l'argent il s'est acheté une nouvelle voiture !

— Cool ! s'écria Josh. Moi aussi je veux une voiture !

Il plongea son tamis dans la rivière avec impatience.

Tous suivirent son exemple. Pendant un moment, on n'entendit que le crissement des graviers sur le métal.

Josh, Rose et 3D plongeaient sans relâche leur tamis dans l'eau.

Soudain, Fiona Nurse laissa échapper un cri.

– J'en ai trouvé une !

Le sourire aux lèvres, elle leur montra une pépite légèrement plus grosse que celle de Tom Finger.

– Bravo ! la félicita Jude. À qui le tour maintenant ?

Pendant la demi-heure qui suivit, Jude, Rose, Sally, Justin, Eddy et 3D poussèrent un cri de joie en dénichant une pépite. Josh était le seul à n'avoir pas trouvé d'or.

– C'est l'heure de rentrer, annonça Tom. Martha est pire qu'un grizzli quand on arrive en retard au repas.

– Je vais tenter ma chance un peu plus haut, décida Josh. Il n'y a plus de pépites ici.

Et il s'éloigna le long du cours d'eau, se frayant un passage entre les rochers et les branches.

– J'espère qu'il va en trouver une, soupira Rose, sinon il fera la tête toute la semaine !

3D leva sa pépite vers le ciel. Elle était aussi grosse qu'un M&M's.

– Tu crois que je vais pouvoir m'acheter un vélo avec ?

Soudain, Josh poussa un hurlement. Un « plouf ! » sonore suivit son cri de près. Tous tournèrent la tête dans sa direction et le découvrirent assis dans l'eau.

3D et Rose se précipitèrent à son secours, mais Jude arriva le premier.

– Tout va bien, Josh ? lui demanda-t-il en lui tendant la main.

Josh attrapa sa main tendue et sortit de la rivière en trébuchant. Il était trempé jusqu'à la taille, mais il souriait de toutes ses dents.

– Regardez ce que j'ai trouvé ! cria-t-il en tendant la main vers ses amis.

Rose écarquilla les yeux. Josh tenait une pépite de la taille d'une pomme de terre.

– Bien joué, Josh ! s'écria 3D.

Le groupe fit cercle autour d'eux.

– C'est la pépite la plus grosse que j'aie jamais vue ! marmonna Tom qui était resté à l'écart.

– Bon, les amis, il est temps de rentrer, rappela Jude.

Ils repartirent vers le ranch en félicitant Josh, dont les baskets mouillées couinaient à chaque pas.

## TOUS EN SELLE !

Une fois séché, Josh gagna la salle à manger et déposa sa pépite à côté de son assiette.

– Je te parie que je peux la faire disparaître, le taquina Eddy.

– Pas question ! s'exclama Josh.

– Tu es un garçon chanceux, lui dit Pa, mais si j'étais toi, je ne me baladerais pas partout avec cette pépite. Tu risques de la perdre.

57

– Et si tu la rangeais dans notre coffre-fort? proposa Jude. Demain, on l'emportera en ville pour la faire estimer.

– Qu'est-ce que ça signifie, « estimer »? demanda Josh.

– Un expert examine la pépite et détermine le prix auquel tu pourras la vendre, expliqua Jude.

– Je sens que je vais enfin devenir riche ! s'écria Josh plein d'enthousiasme.

Après le déjeuner, Rose, 3D et Josh accompagnèrent Jude dans le bureau du ranch.

À côté de la table de travail où s'alignaient des plantes vertes, trônait un vieux coffre-fort noir surmonté d'un vase contenant un bouquet de fleurs séchées.

Jude se pencha sur le coffre-fort, fit tourner la mollette à plusieurs reprises dans un sens puis dans l'autre et ouvrit la porte.

– Et voilà, Josh, ici ton or sera à l'abri, lui assura-t-il en souriant.

Il poussa quelques dossiers et un livre de comptes pour faire de la place.

Josh s'avança et déposa la pépite sur le livre. Jude claqua la porte dont il tourna à nouveau la mollette.

– Prêts pour la balade à cheval ? lança une voix dans leur dos.

Josh se retourna. Tom Finger se tenait dans l'encadrement de la porte, un brin d'herbe coincé entre les lèvres.

– Maintenant que l'or de Josh est à l'abri, on peut y aller, lui répondit Jude.

– J'ai sellé les chevaux, ajouta Tom Finger en les précédant.

Fiona, Eddy et les Honeymoon les rejoignirent dans le corral où les attendaient neuf chevaux sellés. Le nom de chacun d'entre eux était brodé sur sa couverture de selle.

– Amusez-vous bien ! leur cria Ma, qui venait de monter avec Pa dans leur vieux camion vert. Nous partons en ville faire des courses !

Le véhicule démarra en soulevant un nuage de poussière.

– Je pourrais avoir un cheval gentil ?
demanda timidement 3D.

– Tous nos chevaux sont gen-
tils, répondit Jude en souriant. Tu
n'as qu'à monter Gold, il adore les
enfants.

3D s'approcha avec précaution de
Gold dont la robe claire brillait sous le
soleil.

– Vous auriez un petit cheval pour
moi ? enchaîna Josh. J'ai peur des ani-
maux qui me regardent de haut !

– Tiny est le plus petit de nos chevaux, le rassura Jude. Il est agréable à
monter, même s'il a tendance à s'arrê-
ter pour brouter les fleurs sauvages.

Josh caressa le doux museau de sa
monture.

– Si tu es gentil avec moi, Tiny, je
partagerai mon dessert avec toi, lui
promit-il.

– Pour moi, est-ce que vous auriez une jument? demanda Rose.

– Bien sûr, tu n'as qu'à prendre Snowball. Elle est vraiment adorable, et elle est la plus calme de tous.

Snowball était ronde et blanche avec de longs cils. Elle hennit doucement lorsque Rose lui caressa le flanc.

Jude ne tarda pas à trouver une monture adéquate pour Eddy, Fiona et les Honeymoon.

– Eh bien, il est temps de se mettre en selle! déclara-t-il.

Il se tenait près de Silver, un cheval de haute stature à la robe argentée.

– Les amis, je vous montre comment il faut s'y prendre.

S'agrippant de la main gauche au pommeau de la selle, Jude glissa son pied gauche dans l'étrier. Puis il se hissa sur la selle tout en passant sa jambe droite de l'autre côté de sa monture.

– C'est bon ? Est-ce que quelqu'un a besoin d'aide ?

– Oui, moi ! s'écria 3D.

Tom Finger aida les trois amis à se mettre en selle puis leur montra comment se servir des rênes. Il était occupé à ajuster la longueur de leurs étriers lorsque Eddy poussa un cri :

– Aïe !

Il était à moitié en selle et n'arrivait pas à dégager son pied de l'étrier.

Jude sauta de sa monture et courut l'aider.

– Ça va mieux ? lui demanda-t-il.

Eddy fit quelques pas en grimaçant de douleur.

– J'ai vraiment mal ! J'ai dû me fouler la cheville.

– Il vaudrait mieux que vous ne vous appuyiez pas dessus, conseilla Fiona. Je vais vous aider à regagner votre cabanon.

– Non, Fiona, allez-y, protesta Eddy. Je vais me débrouiller.

– Ne dites pas de bêtises. De toute façon, je ne tiens pas vraiment à cette promenade. Je vais demander un sac de glace à Martha.

Et Fiona, soutenant un Eddy boitillant, prit la direction des cabanons.

– Tom, ça ne t'ennuie pas de desseller les chevaux d'Eddy et de Fiona ? demanda Jude. Ensuite, tu nous rejoindras dans la prairie.

Tom Finger acquiesça d'un signe de tête et saisit les rênes des montures.

– Nous allons avancer en file indienne, expliqua Jude au petit groupe. Votre cheval suivra celui devant lui.

– Qui passe en premier ? dit Josh.

– Toi, répondit Jude. Tiny adore mener la troupe. Effleure ses flancs de tes talons pour qu'il se mette en route.

Josh appuya doucement ses talons contre le ventre de sa monture en l'encourageant de la voix.

– Allez, petit cheval, en avant !

Tiny secoua sa crinière et tourna la tête pour regarder Josh. Il remua les oreilles mais n'avança pas d'un millimètre.

– S'il te plaît, ajouta Josh.

Aussitôt, Tiny se mit en marche et sortit du corral.

– C'est super facile ! cria Josh à l'attention de 3D et Rose. Il faut juste leur dire « s'il te plaît » !

## UN ORAGE DANS LA PRAIRIE

Les chevaux avançaient en cadence. Tiny connaissait parfaitement le chemin et ses camarades le suivaient. Jude, sur Silver, fermait la marche.

Les cavaliers ne tardèrent pas à atteindre une prairie avec un étang aux reflets bleus. Le cheval de Josh s'arrêta au pied d'un pin et se mit à brouter une touffe d'herbes hautes.

– On n'a qu'à laisser les chevaux paître ici, proposa Jude.

Il aida les enfants à descendre de selle, puis chaque cavalier attacha sa monture à l'ombre.

– C'est magnifique, j'adore ! s'extasia Josh.

– Les gens du coin appellent cet endroit la Prairie du Paradis, expliqua Jude. Il y a des truites dans l'étang, vous pouvez les nourrir si le cœur vous en dit.

Il ouvrit son sac de selle et en sortit un sachet.

– J'ai apporté du pain. Il suffit d'en parsemer la surface de l'eau pour les voir apparaître, ajouta-t-il.

– Moi, j'aimerais bien savoir lancer le lasso. Vous pourriez m'apprendre ? questionna Josh.

– Demande plutôt à l'expert Tom Finger quand il nous rejoindra.

Jude pencha la tête en arrière pour observer le ciel où des nuages gris commençaient à s'accumuler.

– L'orage approche, constata-t-il. Vous trouverez des ponchos imperméables dans vos sacs de selle.

– Connaissez-vous ces fleurs sauvages ? interrogea Sally Honeymoon.

Jude eut un sourire.

– Je les connais toutes. Tenez, je propose à ceux qui sont intéressés une petite promenade pour découvrir la flore locale.

– Excellente idée ! jugea Sally.

Jude se tourna vers Josh, Rose et 3D.

– Vous venez avec nous ou bien vous préférez attendre Tom ?

– J'aimerais nourrir les truites sauvages, répondit Rose.

– Moi aussi, approuva 3D en tendant la main vers le sachet de pain.

– Et moi, je voudrais emprunter votre lasso, avoua Josh. Peut-être que je réussirai à attraper un poisson avec !

Jude le lui tendit.

– Tom fera de toi une véritable star du lasso en un rien de temps, assura-t-il. À tout à l'heure.

Tandis que Jude et les Honeymoon s'éloignaient dans la prairie, Rose, Josh et 3D se dirigèrent vers la rive de l'étang. 3D ôta ses baskets et plongea les pieds dans l'eau tandis que Rose jetait des miettes de pain à la surface. Des truites apparurent aussitôt pour les gober avec gourmandise.

– Regardez ça ! dit Josh à ses amis.

Il forma une boucle sur le lasso de Jude puis le lança en direction d'une souche d'arbre. La boucle se dénoua en plein vol, si bien que le lasso s'affala au sol.

– Ah zut, comment font les cow-boys ? marmonna Josh en enroulant la corde afin d'essayer à nouveau.

À cet instant, le bruit d'un galop retentit dans leur dos. Ils se retournèrent d'un bloc. C'était Tom Finger, monté sur un grand cheval noir.

– Salut, Tom, dirent Rose et 3D d'une même voix.

Pour toute réponse, Tom leur adressa un signe de tête. Une fois descendu de sa selle, il attacha son cheval près des autres montures.

– Alors Josh, tu lui demandes de t'apprendre à te servir d'un lasso ? chuchota Rose.

– J'hésite, avoua-t-il à voix basse. Il me fiche la frousse.

– Ne sois pas bête, le sermonna Rose.

Elle s'approcha de Tom Finger.

– Josh voudrait que vous lui montriez comment se servir d'un lasso, lui dit-elle.

Tom Finger jeta un coup d'œil derrière elle et aperçut Josh qui tentait d'enrouler la corde.

– Je suppose que je pourrais lui apprendre, répondit-il en scrutant la prairie. Où sont les autres?

– Jude a emmené les Honeymoon découvrir la flore, l'informa 3D.

Avec un grognement, Tom s'approcha de Josh, lui prit le lasso et forma rapidement une grande boucle. Il la fit tourner à trois reprises au-dessus de sa tête, puis la laissa filer. Le lasso siffla dans l'air avant d'atterrir autour de la souche que visait Josh.

– Waouh! Comment avez-vous fait? demanda Josh, admiratif.

– Tout ce qui compte, ce sont les doigts et le mouvement du poignet, lui expliqua Tom.

Il était en train de montrer à Josh comment tenir la corde lorsque Jude et le couple Honeymoon revinrent au trot.

– L'orage se rapproche, annonça Jude. On ferait bien de rentrer au ranch rapidement.

Au-dessus de leurs têtes, les nuages épars avaient cédé la place à une masse de nuages sombres. Poussés par le vent, ils projetaient leurs ombres mouvantes sur la prairie.

Il ne leur fallut que quelques minutes pour enfiler leurs ponchos et monter en selle. Cette fois, Tom menait la petite troupe.

Alors qu'ils pénétraient dans les bois, l'orage éclata.

Les chevaux étaient trempés lorsqu'ils arrivèrent au ranch une demi-heure plus tard.

– Tom, je m'occupe de Blackie si tu veux, proposa Jude. Va prévenir Martha que nous sommes rentrés pour qu'elle nous prépare un chocolat chaud et des cookies.

Tom Finger sauta à terre, tendit les rênes de Blackie à Jude et partit en courant vers la maison.

La pluie avait pratiquement cessé de tomber, un vent violent éloignait les derniers nuages. Les cavaliers descendirent de selle puis conduisirent leurs montures dans la grange.

Soudain, le triangle retentit.

– Pourquoi Martha sonne à cette heure ? s'étonna Jude. Il est encore trop tôt pour le repas.

Comme le triangle tintait sans discontinuer, Jude, inquiet, sortit de la grange en courant.

## ATTAQUE AU RANCH

Justin et Sally Honeymoon et les trois amis se précipitèrent à sa suite. Au moment où ils traversaient la cour, le camion du Western Ranch apparut au bout de l'allée.

Ma et Pa en descendirent, chargés de sacs.

— Que se passe-t-il? demanda Pa à son fils.

– Quelqu'un vient de faire sonner le triangle, lui répondit Jude en bondissant sur la galerie.

Plus personne ne s'y trouvait, pourtant le triangle se balançait encore.

– Jude ! Viens vite m'aider ! hurla Tom Finger. Je suis dans le bureau.

Jude franchit la porte moustiquaire, le petit groupe sur ses talons.

Ébahis, ils découvrirent Tom Finger agenouillé devant Martha Cook bâillonnée et ficelée à une chaise.

Tandis que Tom dénouait ses liens, Ma lui ôta son bâillon. Pa, lui, se précipita vers le téléphone pour appeler le shérif.

— Que t'est-il arrivé ? demanda Ma à Martha.

— Le coffre-fort ! cria simplement Martha en le désignant du doigt.

La porte du coffre-fort était grande ouverte, révélant à tous son contenu : quelques dossiers et un livre de comptes. Une seule chose manquait, la pépite de Josh.

— On a volé mon or ! cria-t-il.

— Est-ce que je pourrais avoir un verre d'eau ? bafouilla Martha en se massant les poignets.

Sally courut à la cuisine pendant que Martha racontait en tremblant sa mésaventure.

— J'étais dans le bureau en train d'arroser les plantes lorsque quelqu'un m'a attrapée et jetée sur cette chaise. Je me suis mise à hurler, alors il m'a bâillonnée et ligotée.

— Qui était-ce ? voulut savoir Pa. Tu l'as reconnu ?

Martha secoua la tête.

— Il était habillé tout en noir, une cagoule noire dissimulait son visage, et il n'a pas prononcé un mot.

— Où sont Fiona Nurse et Eddy Magician ? s'inquiéta Jude. Ils auraient dû entendre sonner le triangle.

— Fiona a suggéré à Eddy de s'allonger un moment, expliqua Martha. Elle lui a bandé la cheville. Je lui ai prêté des béquilles. J'ai proposé d'appeler un médecin, mais Eddy m'a assuré que ce n'était pas la peine.

Jude se précipita dehors, suivi par Josh, Rose et 3D.

Il atteignit bientôt le cabanon de Fiona. Il gravit les marches à toute allure puis frappa à la porte.

– Fiona? C'est Jude. Est-ce que tout va bien? Je peux entrer?

N'obtenant aucune réponse, il ouvrit le battant à la volée et pénétra dans la pièce.

– Ça alors! s'exclama-t-il.

Fiona, tout comme Martha Cook un peu avant, était ligotée à une chaise et bâillonnée.

Jude se précipita pour la libérer, aidé de Rose.

3D attrapa Josh par le bras et s'écria :

– Allons voir si Eddy va bien !

Les deux garçons coururent jusqu'au cabanon du magicien.

– Monsieur Magician ? appela 3D. Monsieur Magician ?

Comme il n'obtenait pas de réponse, 3D ouvrit la porte. Eddy Magician était assis contre le pied du lit, les mains derrière le dos. Un foulard lui recouvrait la bouche.

3D défit le nœud du foulard et le retira.

— Merci ! souffla Eddy. J'ai bien cru que j'allais passer la journée dans cet état !

D'un air terrifié, il désigna l'armoire du menton.

— Un sac est rangé là-dedans, précisa-t-il. À l'intérieur vous trouverez une boîte contenant une clé. L'agresseur s'est servi de mes propres menottes pour m'attacher !

Les garçons constatèrent alors qu'il était menotté au pied du lit. Josh trouva la clé puis délivra le magicien. Les menottes s'ouvrirent avec un léger claquement.

– Que s'est-il passé ? demanda 3D à Eddy. On a retrouvé Martha Cook et Fiona Nurse ligotées, elles aussi !

– Ouais, et ce brigand a volé ma pépite ! s'indigna Josh.

3D remarqua que l'un des pieds d'Eddy était entouré d'un bandage serré.

Une paire de béquilles était appuyée contre le lit.

– Je m'entraînais avec mes menottes pour vous présenter un tour de magie au dîner, expliqua Eddy, lorsque tout à coup, une personne vêtue de noir des pieds à la tête a fait irruption dans mon cabanon. Avant que j'aie le temps d'esquisser un geste, je me suis retrouvé bâillonné avec ce foulard et menotté.

Eddy se frotta les poignets.

— Et je peux vous dire qu'elles étaient drôlement serrées !

— Pouvez-vous marcher ? s'inquiéta 3D. Pa a appelé le shérif. Nous devrions rejoindre les autres dans le bureau.

Eddy se releva péniblement. Josh lui tendit les béquilles qu'il glissa sous ses aisselles.

Lentement, ils s'engagèrent sur le chemin menant à la maison. Lorsqu'ils arrivèrent, Jude, Rose, Ma et Fiona étaient sur la galerie en compagnie d'un homme.

Une voiture verte et blanche était garée dans l'allée. Le mot shérif s'étalait en grosses lettres sur la portière.

## DES ALIBIS EN OR

Tout le monde s'entassa dans le bureau. Pendant que Martha racontait à nouveau son histoire, le shérif prenait des notes dans son carnet. Fiona et Eddy l'interrompirent pour ajouter des détails.

– Donc, si je comprends bien, résuma le shérif, un individu vêtu de noir, homme ou femme, vous a ligotés tous les trois. Puis il ou elle a ouvert le coffre-fort et y a dérobé une grosse pépite d'or. C'est bien ça?

– Peut-être s'agit-il d'une personne étrangère au ranch? suggéra Ma.

Martha secoua la tête.

– D'ici, on voit à des kilomètres à la ronde, et je peux vous assurer que je n'ai repéré personne.

– Ma a raison, intervint Pa, le voleur n'est certainement pas l'une des personnes présentes dans cette pièce!

3D jeta un rapide regard circulaire sur l'assemblée. Il s'aperçut que chacun l'imitait et observait tous les autres.

– Martha, interrogea le shérif, avez-vous vu comment cet individu s'y est pris pour ouvrir le coffre-fort?

– Non, il était accroupi et me tournait le dos. Mais j'ai remarqué qu'il portait des gants.

– Ce qui veut dire que nous ne trouverons pas d'empreintes, déplora le shérif en s'approchant du coffre-fort. Qui connaît la combinaison?

– Eh bien, moi, répondit Pa, et puis Ma, je veux dire, madame Cow, et notre fils, Jude.

Le shérif se tourna vers Ma.

– Si l'un de vous se remémore quoi que ce soit, veuillez appeler mon bureau, lui recommanda-t-il.

Puis il se pencha vers Josh.

– Je suis désolé que tu aies perdu ton or, mon garçon. Je vais faire de mon mieux pour que tu le récupères.

– Merci, marmonna Josh.

Accompagné de Rose et 3D, il suivit le shérif au-dehors. Ce dernier leur adressa un signe d'adieu puis s'éloigna en trombe au volant de sa voiture.

Tandis qu'Eddy, Fiona et les Honeymoon regagnaient leur cabanon, les trois amis s'assirent sur la galerie.

– Le voleur s'est montré très intelligent, reconnut Rose.

– Comment ça ? demanda Josh occupé à faire une boucle à un lasso.

Il le lança en direction de la barrière… mais manqua son coup.

– Ce que je veux dire, expliqua Rose, c'est qu'il s'est débrouillé pour donner l'impression que le voleur était étranger au ranch. Aucune des sept personnes qui étaient en randonnée équestre n'a pu voler la pépite. Martha, Eddy et Fiona étaient ligotés ici, ça ne peut donc être eux. Quant à Ma et Pa, ils étaient partis faire des courses et sont rentrés en même temps que nous. Les douze personnes présentes au ranch ont un alibi en or.

Josh soupira et enroula sa corde.

– Bien raisonné, Rose, concéda-t-il. Mais tu oublies un détail. Nous n'étions que six à partir randonner à cheval. Nous trois, Justin, Sally et Jude.

– Et Tom, ajouta 3D. Il était avec nous...

– Mais non ! s'écria Rose. Josh a raison ! Tom nous a rejoints à la fin de la randonnée, il n'était pas là au départ !

— Il a très bien pu ligoter Fiona et Eddy après avoir dessellé leurs chevaux, renchérit Josh. Ensuite, il n'avait plus qu'à s'occuper de Martha, à empocher l'or et à nous rejoindre au galop dans la prairie.

— Tom fait presque partie de la famille Cow, observa 3D. Quel intérêt aurait-il à voler le ranch ?

— Vous vous souvenez de ce qu'il a dit quand j'ai découvert la pépite ? lança Josh. Que c'était la plus grosse qu'il avait jamais vue. Moi, je suis sûr qu'il est coupable, conclut-il en jetant son lasso vers le pied de 3D.

Qu'il manqua.

## CHERCHEURS D'INDICES

Josh, 3D et Rose restèrent un moment assis en silence, songeant à Tom Finger.

– Je sais que tu n'aimes pas Tom, finit par dire 3D en se tournant vers Josh, mais je n'arrive pas à croire qu'il ait volé la famille Cow. Et puis je te rappelle qu'il ne connaît pas la combinaison du coffre-fort.

– S'il travaille ici depuis des années, il a très bien pu la découvrir sans que les Cow s'en doutent, rétorqua Josh.

– Peut-être que le vol a vraiment été commis par une personne étrangère au ranch, comme l'a suggéré Ma, insista 3D.

– En tout cas, intervint Rose, le voleur a pris un énorme risque. Nous aurions pu rentrer de balade n'importe quand.

– Pour moi, c'est une preuve supplémentaire de la culpabilité de Tom, décréta Josh. Il savait que nous ne serions pas de retour avant un moment, il savait aussi que Ma et Pa en avaient au moins pour une heure en ville. Et son comportement est bizarre. Vous avez remarqué qu'il apparaît toujours à l'instant où on l'attend le moins?

– Je me demande pourquoi le voleur s'est servi de cordes pour attacher Martha et Fiona et de menottes pour Eddy, lança 3D après quelques secondes de silence.

– Eddy nous l'a expliqué, répondit Rose. Il répétait un tour. Quand il a vu les menottes, le voleur a décidé de les utiliser.

– Possible, marmonna 3D.

– Quoi ? le taquina Josh. Tu crois qu'Eddy est le voleur ? Je l'imagine bien, sautillant d'un endroit à un autre pour ligoter Martha et Fiona, puis composer la combinaison du coffre-fort du bout de ses béquilles.

– À moins qu'il ne mente, observa Rose.

– Comment ça?

Rose se tourna vers ses deux amis.

– Et si Eddy avait simulé une foulure pour rester au ranch et voler la pépite?

– Rose, répliqua Josh, Eddy n'a pas pu se bâillonner et se menotter tout seul.

– C'est un magicien!

– Et puis Fiona était avec lui, argumenta Josh. Alors, à moins qu'ils soient complices…

– C'est une possibilité, non? rétorqua Rose.

– Ce sont tous les deux des coupables potentiels, admit 3D. Mais comment prouver leur culpabilité ?

– Je reste persuadé que le voleur est Tom Finger, insista Josh. C'est un spécialiste du lasso et je suis sûr qu'il a mis des gants pour dissimuler son absence de pouce.

– Josh, tenta de le convaincre 3D, des tas de gens savent faire des nœuds, et n'importe qui porterait des gants pour cambrioler un coffre-fort afin de ne pas laisser d'empreintes.

– Le policier Right nous dirait : « Trouvez une preuve », remarqua Rose. Pourquoi ne pas fouiller leurs cabanons ? suggéra-t-elle.

– Pour y chercher quoi ? demanda 3D.

– La tenue noire du voleur par exemple, répondit Rose.

– Ou bien ma pépite ! s'écria Josh. Le voleur l'a certainement cachée dans ses affaires.

– Minute, s'inquiéta 3D. Ce ne serait pas commettre une effraction ?

– Mais non, le rassura Rose. Ici, aucune porte ne ferme à clé !

Rose venait juste de terminer sa phrase lorsque le tintement du triangle retentit.

Aussitôt, Josh lâcha son lasso et bondit sur ses pieds.

– Allons dîner, je n'arrive pas à réfléchir quand j'ai le ventre vide.

Ils gagnèrent la salle à manger en se dépêchant puis attaquèrent leur repas tout en écoutant les adultes débattre du vol.

3D observait les convives un à un. L'un d'entre eux était-il le voleur ?

« Il ne peut s'agir ni de la famille Cow, ni du couple Honeymoon puisqu'ils étaient avec nous en randonnée, se dit-il. Reste Eddy, Fiona, Tom et Martha. »

3D jeta un coup d'œil à Eddy, assis de l'autre côté de la table. Ses béquilles étaient appuyées contre le mur. Il montrait à Fiona et Jude un tour avec une ficelle.

Fiona portait un col roulé noir et un jean noir. Les marques laissées par la corde étaient encore visibles sur ses poignets. Pouvait-elle être la voleuse ?

Martha, elle, faisait des allers et retours entre la cuisine et la salle à manger. 3D ne parvenait pas à l'imaginer ligotant Fiona et Eddy puis se ligoter elle-même. Cependant, comme Tom, elle aurait très bien pu avoir découvert la combinaison du coffre.

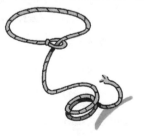

Quant à Tom… Mais où était-il?

3D se tourna vers la chaise habituellement occupée par Tom et retint une exclamation de surprise.

Elle était vide!

Soudain, Josh lui décocha un coup de pied sous la table. 3D sursauta.

— Laisse-moi faire, 3D, lui souffla Josh en se tournant vers Ma.

— Tom m'a promis de me montrer un truc au lasso après dîner. Il rentre bientôt?

— Eh bien j'ignore où il est, Josh, répondit Ma. Peut-être est-il parti en ville.

Pa fit sonner son verre d'un coup de cuillère.

– Nous avons vécu une dure journée aujourd'hui, que diriez-vous de rester après dîner pour jouer aux cartes ensemble ? Eddy, ce serait l'occasion de nous montrer de nouveaux tours de magie.

Les adultes accueillirent chaleureusement cette proposition.

Josh se pencha vers Rose et 3D et chuchota :

– C'est parfait ! On va profiter qu'ils soient tous réunis ici pour fouiller leurs cabanons !

— Mais ça va sembler bizarre qu'on ne reste pas ! s'alarma Rose.

Josh se contenta de lui adresser un clin d'œil avant de s'éloigner pour échanger quelques mots avec Ma.

Il revint une minute plus tard.

— Tout est réglé, annonça-t-il. On peut y aller.

— Qu'est-ce que tu lui as raconté ? questionna 3D.

— Oh, juste un petit mensonge, répliqua Josh.

— Quel genre de mensonge ? insista Rose tandis qu'ils s'engageaient sur le chemin qui conduisait aux cabanons.

– Je lui ai expliqué que nous avions un exposé à préparer pour la rentrée.

– Ah oui ? railla 3D. Et on peut savoir sur quel thème ?

– Les constellations, répondit Josh en levant les yeux vers le ciel.

– Mais on n'y connaît absolument rien ! s'affola Rose.

– Ce n'est pas grave, déclara Josh, c'est juste un alibi. Si quelqu'un nous surprend dehors pendant la nuit, il pensera qu'on est en train d'admirer les étoiles !

## FOUILLES NOCTURNES

— Par quel cabanon commence-t-on ? demanda Josh.

— Je m'occupe de celui d'Eddy, déclara 3D.

— Et moi de celui de Fiona, proposa Rose. Vous avez remarqué qu'elle était vêtue de noir, ce soir ?

— Oui, et Eddy a réalisé plusieurs tours où il défaisait des nœuds, souligna 3D. Josh, pourquoi ne te charges-

107

tu pas du cabanon de Tom ? Il se trouve derrière la grange. Mais sois prudent, il y est peut-être !

– D'accord, accepta Josh. Je vais vérifier si le camion et le pick-up sont là. S'il en manque un, cela veut dire que Tom Finger est parti en ville.

Sur ce, les trois amis s'éloignèrent chacun de leur côté.

Lorsque 3D se glissa sur la véranda du cabanon d'Eddy, les marches grincèrent sous son poids. Il sursauta. Il avait beau savoir que le magicien se trouvait dans le bâtiment principal, il se sentait nerveux.

Il franchit la porte à pas de loup. La veilleuse fixée au-dessus du lit était allumée.

Des habits étaient éparpillés partout dans la pièce. Un sac de sport et un sac marin à moitié remplis traînaient sur le lit.

3D inspecta rapidement le contenu des tiroirs de la commode. Il y trouva un livre intitulé *La Magie facile* et quelques foulards colorés. Il découvrit également deux cordes, mais elles ne ressemblaient pas à celles qui avaient servi à ligoter Fiona et Martha.

Dans la salle de bain, il dénicha une boîte d'aspirine, un nécessaire de rasage, ainsi qu'une brosse à dents. Et accroché au porte-serviettes, un stéthoscope. « Il doit s'en servir pour l'un de ses tours de magie », pensa-t-il.

De retour dans la pièce principale, 3D inspecta les vêtements suspendus au portemanteau. Aucun d'entre eux n'était noir.

Puis il examina les sacs posés sur le lit. Ils contenaient des vêtements roulés en boule et quelques livres. 3D se demanda pourquoi Eddy n'avait pas encore vidé ses valises.

Soudain, des bruits de pas résonnèrent à l'entrée.

Il se figea, puis plongea sous le lit.

La porte ne s'ouvrant pas, il sortit sans bruit de sa cachette et se posta à la fenêtre. Les fauteurs de troubles n'étaient autres que Rose et Josh qui regagnaient leur cabanon !

Soulagé, 3D agita la main dans leur direction, puis il les rejoignit.

— Vous m'avez flanqué une sacrée frousse ! leur confia-t-il.

— Qu'est-ce que tu as trouvé ? le pressa Josh.

3D se laissa tomber sur son lit avant de répondre :

— Un livre et du matériel de magie. Aucun vêtement noir, aucune pépite d'or. Désolé, Josh.

— Fiona a beaucoup de vêtements noirs, elle, annonça Rose. Et une flopée de romans policiers !

— Pas de manuel pour apprendre à ouvrir un coffre-fort ? plaisanta Josh.

— Non. J'ai aussi jeté un œil à la chaise sur laquelle elle était ligotée. Je ne vois pas comment elle aurait pu s'attacher seule. Elle aurait pu se lier les pieds, bien sûr, mais ses mains étaient ficelées dans son dos !

– Elle ne s'est pas ligotée seule, intervint Josh. C'est Tom qui s'en est chargé. Au fait, le pick-up n'est plus là. J'espère qu'il n'est pas parti en ville vendre ma pépite d'or !

– Dans quel état est son cabanon ? interrogea 3D.

– Ma mère adorerait ce type, c'est un maniaque du rangement ! Son lit était fait et tous ses vêtements étaient suspendus dans l'armoire.

– Josh, tu as découvert des preuves ? l'interrompit Rose.

– Oui m'dame, répliqua Josh avec un large sourire. Il possède des gants noirs, un jean noir, et une cagoule de ski noire ! J'ai aussi trouvé des cordes.

Et attendez la suite ! Il a une télévision avec lecteur DVD. Devinez le documentaire qu'il regarde en ce moment ?

3D et Rose se contentèrent de fixer Josh, interdits.

— *Les Cambriolages les plus célèbres de l'Ouest* !

— Rien de tout cela ne prouve qu'il a volé ta pépite, Josh, observa 3D. À vrai dire, rien de ce que nous avons découvert ne constitue une preuve.

— C'est fichu ! se lamenta Josh en enroulant son lasso, je ne deviendrai jamais riche !

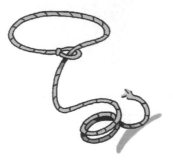

Un raclement s'éleva soudain au-dehors.

Rose, 3D et Josh jetèrent un œil à travers la moustiquaire. Eddy se traînait sur ses béquilles en direction de son cabanon.

Il avançait doucement, en prenant garde de maintenir son pied bandé loin du sol. Après avoir gravi les marches, il prit appui sur son pied valide afin d'ouvrir la porte. Puis il disparut à l'intérieur.

— Tout n'est pas perdu, Josh, reprit Rose. Le shérif va peut-être attraper le voleur.

Josh ouvrit la moustiquaire et s'assit sur une marche, son lasso enroulé autour d'un genou.

— C'est trop tard, soupira-t-il. D'ici demain, le voleur aura vendu mon or. Il partira, et personne ne l'arrêtera jamais.

3D et Rose rejoignirent leur ami. La nuit tombait. Des lucioles commençaient à briller dans les buissons tandis que des rires fusaient de la maison.

— Et si on allait faire un tour au bord de l'étang ? proposa 3D dans l'espoir de lui changer les idées.

Josh haussa les épaules, le regard dans le vague.

— Oui, allons-y, approuva Rose. Je vais chercher ma crème anti-moustiques.

Arrivée près de la porte, elle s'arrêta net.

– Les garçons, venez voir, vite !

– Quoi ? s'étonna 3D.

3D et Josh rejoignirent Rose qui désigna le cabanon d'Eddy. Par la fenêtre, ils le virent ranger des vêtements dans son sac.

– Qu'est-ce qu'il fabrique ? demanda 3D.

– On dirait qu'il fait ses bagages ! répondit Rose.

Josh s'approcha sans bruit du cabanon, suivi par Rose et 3D. Ils s'accroupirent sous la fenêtre du magicien avant de se relever avec précaution pour regarder à l'intérieur.

## UNE ARRESTATION AU LASSO

Eddy avait fermé les deux sacs qui étaient désormais posés près de la porte. Ses béquilles gisaient sur le sol.

Assis sur le lit, il défit son bandage puis il ôta sa chaussette, la retourna, et en fit tomber… la pépite de Josh !

— Le voleur ! souffla Josh.

D'un geste leste, Eddy empocha la pépite puis se dirigea vers la porte.

– Vous avez vu, il ne boite plus ! murmura Josh.

– Il s'en va, s'affola 3D. Qu'est-ce qu'on fait ?

– Je vais sonner le triangle, décréta Rose, vous, vous l'arrêtez !

Sur ce, elle fonça vers la maison.

– J'ai une idée, dit Josh.

Et il se précipita à l'arrière du cabanon d'Eddy. La lumière s'éteignit, 3D entendit la porte moustiquaire s'ouvrir. Enfin Eddy apparut sur la galerie, ses sacs à la main.

Il scruta les alentours puis il descendit l'escalier. Soudain, le tintement du triangle résonna dans la nuit.

Eddy Magician venait de se figer sur place lorsque la boucle d'un lasso emprisonna ses épaules. La corde se serra, Eddy vacilla et chuta sur le sol avec un bruit sourd.

– Je le tiens! triompha Josh, juché sur le toit du cabanon.

Il enroula l'autre extrémité du lasso autour de la cheminée.

À cet instant, Pa et son fils Jude arrivèrent en courant.

– Que se passe-t-il ici?

– J'ai attrapé le voleur! hurla Josh. Ma pépite est dans sa poche!

Le lendemain matin, Eddy Magician ne prit pas place à la table du petit-déjeuner. Il avait été arrêté et conduit à la prison de Bozeman. Josh, lui, avait récupéré son or.

– Cette histoire de cheville foulée, c'était bidon, constata Jude. Quand Eddy a su que la pépite de Josh était dans le coffre-fort, il a fait semblant de se blesser afin de rester au ranch. Je ne serais pas étonné d'apprendre que c'est lui qui a volé les billets dans mon portefeuille.

– Il a dû se bâillonner et se menotter tout seul après s'être attaqué à Fiona et Martha, intervint Josh.

– Je suis prêt à parier qu'il s'est servi de son stéthoscope pour écouter les cliquetis du mécanisme et en déduire la combinaison du coffre, renchérit 3D.

— C'est l'hypothèse la plus probable en effet, approuva Pa.

Il attrapa un fax posé sur la table.

— Le shérif nous a envoyé ce document il y a un instant. Il semblerait que ce monsieur Magician se soit également attiré des ennuis à New York. Il y est connu comme perceur de coffres-forts et voleur à la tire.

— Sans vous, affirma Jude en se tournant vers Josh, Rose et 3D, il aurait fui la ville hier. Un train quitte Bozeman tous les soirs à minuit.

Tom, assis à l'autre bout de la table, planta son regard dans celui de Josh.

– Tu croyais que j'avais fait le coup, pas vrai, mon gars ? lui dit-il.

Le visage de Josh prit la couleur des fraises flottant à la surface de son bol de céréales.

– Je… Nous… bafouilla-t-il. Comment le savez-vous ?

– Je vous ai entendus parler de preuves hier soir, expliqua Tom. Alors je me suis absenté pour que vous puissiez fouiller mon cabanon à votre aise.

Un grognement puissant s'éleva à cet instant dans la cuisine. Avant que quiconque ait le temps de se lever, une masse couverte de fourrure déboula dans la salle à manger.

– Qu'avez-vous fait de mon ourson ? hurla la créature.

– Martha ! gronda Ma, enlève ton déguisement, les enfants sont morts de peur !

Martha repoussa la tête d'ours qui couvrait son visage et sourit.

– J'espère que je ne vous ai pas trop effrayés l'autre nuit, s'excusa-t-elle.

– C'était vous ! s'écria 3D.

– Oui, c'était moi, mais l'idée vient de Tom.

Tom adressa un clin d'œil à Josh.

– Je n'ai pas pu résister, admit-il.

L'énorme pépite de Josh était posée à côté de son bol. Elle scintillait sur la nappe immaculée. Lorsque Jude posa son regard sur elle, il remarqua :

— Elle devrait te rapporter une jolie somme, mon gars. Je vais te conduire en ville après le petit-déjeuner pour que tu puisses la vendre.

— Non merci, répondit Josh. J'ai décidé de vous la donner. Je veux que vous la vendiez et que vous utilisiez l'argent pour sauver le ranch.

Le silence se fit autour de la table. Un silence si parfait que 3D entendait les battements de son cœur.

— Josh, es-tu sûr de ta décision ? l'interrogea Jude. Et la voiture que tu rêvais de t'acheter, alors ?

— Eh bien, il faudra que je trouve une autre pépite, conclut Josh avant de se tourner vers Tom et d'ajouter :

– Je vous expliquerai ma méthode !

– J'ai hâte de la découvrir, mon petit gars, rit Tom.

– Mais comment pourrons-nous jamais te remercier ? s'inquiéta Ma.

– Je sais, intervint Rose en donnant un léger coup de pied à 3D sous la table. Josh adore les bisous !

– Rose a raison, renchérit 3D.

– Rien de plus facile, dit Ma.

Elle se leva et se pencha vers Josh.

– Moi aussi je veux l'embrasser ! protesta Martha en remettant la tête de son déguisement.

Alors Josh décampa de la salle à manger en hurlant tandis que Tom Finger éclatait de rire.

# TABLE DES MATIÈRES